Olivier Avon

ne t'inquiète pas
pour moi

Alice Kuipers

ne t'inquiète pas pour moi

Traduit de l'anglais
par Valérie Le Plouhinec

Albin Michel Jeunesse

Alice Kuipers vit à Saskatoon, Canada. *Ne t'inquiète pas pour moi* est son premier roman. Acheté par plus de quarante pays, il est nominé pour la prestigieuse « Carnegie Medal » 2008.

Titre original :
LIFE ON THE REFRIGERATOR DOOR
(Première publication : Macmillan, Londres, 2007)

Illustrations : Marc Boutavant

Aux femmes de ma famille,
en particulier Anneke, Liz, Melanie, Oma, Granny,
et, bien sûr, ma mère.

Ce n'est que pour dire

que j'ai mangé
les prunes
qui étaient dans
la glacière

et que
sans doute tu
gardais
pour le petit déjeuner

pardonne-moi
elles étaient délicieuses
si douces
et si froides

William Carlos Williams

Sommaire

Janvier

Quand je te regarde

Coucou ma Claire,

lait
pommes
bananes
avocats
oignons
pommes de terre
tomates
champignons
carottes et granulés pour Jeannot Lapin
steak haché
pain
jus de fruits – je te laisse choisir

Si ce n'est pas trop lourd, prends un poulet et deux boîtes de haricots. Si tu ne peux pas, ça ne fait rien, j'essaierai de passer les acheter demain.

Bises,

Maman

P.-S. : Il y a de l'argent sur le comptoir de la cuisine. N'oublie pas ta clé !

Maman,

J'ai tout acheté sauf le poulet et les haricots. Il faisait UN FROID DE CANARD, j'ai cru que j'allais perdre mes doigts en portant les sacs. Il me FAUT des gants neufs. On pourrait retourner au magasin dimanche – tu ne travailles pas dimanche, hein ?

La journée a été bonne ???

C

Je nous ai préparé des spaghettis bolognaise.

Bises,

Maman

Il faut que je file. Je suis de garde ce week-end.
Désolée.

Bises,

Maman

Je dors chez Emma.

Tu avais l'air un peu fatiguée hier soir, maman.
J'espère que tu ne travailles pas trop ???

À demain

Bisous

C

P.-S. : Ne t'inquiète pas, j'ai ma clé.

Si tu as le temps, peux-tu passer prendre un poulet ?
C'est moi qui cuisine.

Bises,

Maman

J'ai CREVÉ DE FAIM PENDANT DES SIÈCLES ! J'ai fini par trouver une recette sur Internet pour préparer le poulet. J'ai laissé les restes dans le frigo. Je t'ai attendue, mais finalement j'ai compris que tu n'allais PAS rentrer alors je l'ai couvert avec du film plastique. Emma n'est JAMAIS obligée de faire la cuisine pour sa mère, elle.

Je pars tôt au lycée demain matin, je ne te croiserai pas. La mère d'Emma va nous emmener en voiture, elle a eu pitié de nous à cause de la NEIGE. Ensuite demain soir j'ai un baby-sitting, pour gagner de l'argent, pour m'acheter les choses dont j'ai BESOIN. Comme DES GANTS. Pour ne pas PERDRE mes MAINS à cause du FROID !!!!

Pourquoi tu ne t'achètes pas un portable, au moins, que je puisse t'appeler ???!!!!!!!

Claire

Ma Claire chérie,

J'ai eu un week-end stressant. Ce serait bien que tu ne me fasses pas culpabiliser en plus quand je rentre à la maison.

J'espère que tu as passé une journée intéressante au lycée. Il reste du poulet (très bon, d'ailleurs). On se voit au petit déjeuner. Je voudrais te parler de quelque chose.

Je t'embrasse,

Maman

P.-S. : Je t'ai laissé des sous pour les gants sur le comptoir.

Ma Claire,

Je dois partir plus tôt que prévu. J'ai une patiente qui a accouché deux mois et demi avant terme. Janvier, c'est la pire période pour avoir un petit préma…

C'est quand, ton exposé ? Bientôt, non ?

Faisons quelque chose ce soir. J'ai l'impression qu'on ne s'est pas vues depuis des jours.

Je t'embrasse,

Maman

P.-S. : Peux-tu racheter des pommes ?

Salut maman !

Ce soir je ne peux pas. Il faut que j'aille bosser chez Emma. James vient aussi, on va finir l'exposé ensemble pour demain.

Je t'ai fait des pâtes avec de la sauce au fromage, j'ai fini le lait. Je n'ai pas encore racheté de pommes.

J'espère que tu t'es bien amusée au boulot.
Comment ça s'est passé, le bébé d'hier soir ?

Claire

Tu peux me laisser 10 dollars, maman ?

Coucou ma Claire,

J'ai racheté du lait et du pain. Il y a aussi des fruits et légumes (y compris des pommes).

Merci pour les macaronis au fromage – fameux ! Tu cuisines mieux que moi, maintenant.

On se voit sans faute au petit déj' samedi. Il faut que je te parle.

C'est pour quoi, l'argent ?

Maman

Coucou ma Claire,

Ça m'a fait plaisir de te voir hier soir, même si on n'a fait que se croiser. C'était bien, chez Emma ? Tu avais vraiment l'air d'une femme quand tu es sortie, parfois j'en oublie que tu n'as que quinze ans.

Excuse-moi, je me rends compte à l'instant que j'ai oublié de te demander comment s'était passé ton exposé.

Je travaille tard, ce soir. Comme le Dr Goodman est absent, on a tous l'impression d'avoir trois fois plus de boulot.

Samedi, ça te va toujours ? Il faut vraiment qu'on se parle sérieusement.

Je t'aime, mon cœur.

Maman

Claire,

Il faut nettoyer la cage de Jeannot. Pauvre lapinou.

Bises,

Maman

Salut m'man !

J'ai eu 18 !

C

Bravo, ma chérie ! C'est super. C'était important, cet exposé ?

MAMAN !

C'était très important. Si je te voyais DE TEMPS EN TEMPS tu saurais ce genre de choses. C'est incroyable que tu me poses la question.

Je rentrerai tard, ce soir. Les parents d'Emma m'ont invitée à dîner. Je resterai peut-être dormir s'il neige toujours. Je t'appellerai pour te dire. Demain soir j'ai encore un baby-sitting.

Claire

Claire, c'est malin, maintenant j'ai l'impression d'être une mauvaise mère. Essayons de fixer un soir régulier chaque semaine pour discuter de tout ce que tu fais au lycée, d'accord ? On faisait ça avant, tu te souviens ?

À samedi, on pourra se parler vraiment.

Maman

Ma Claire, je ne peux pas être là pour le petit déj' samedi. Essayons de dire dimanche soir.

Pourrais-tu me racheter de la crème hydratante, si tu as une minute ? Je n'en ai plus.

Ton père a appelé hier soir. Il demande que tu le rappelles.

Bises,

Maman

Salut maman,

Je révise mon contrôle chez Emma. Tu as oublié mon argent de poche. ENCORE.

C

Qu'as-tu décidé pour dimanche soir ?

Bises,

Maman

MAMAN !

S'TE PLAÎT S'TE PLAÎT S'TE PLAÎT
DONNE-MOI MON ARGENT DE POCHE !!!!

Salut MAMAN (que je ne vois plus JAMAIS !)

Dimanche, c'est l'anniv' d'Emma alors je serai chez elle. Je devais dormir là-bas ce soir aussi mais papa m'a demandé de venir, donc je dors chez lui. Il avait l'air déprimé. Tu sais pourquoi ?

Je t'ai acheté un pot de crème hydratante. J'espère que c'est celle que tu aimes, je crois que oui mais il y en a des tas et des tas au magasin et je ne me rappelais plus. Il me semble que la tienne était dans un pot blanc, celle-ci a la bonne étiquette mais sur un pot jaune. Ils ont changé les pots ? Il faut que tu me laisses des sous la prochaine fois que tu voudras quelque chose. À moins que tu m'augmentes mon argent de poche...

J'espère que tu vas bien. Tu m'as dit que tu voulais me parler. Je rentrerai peut-être de chez Emma à temps pour le dîner dimanche soir.

C

Coucou ma Claire,

C'était comment, ce week-end chez ton père ? J'espère qu'il s'est montré plus gai en vrai qu'au téléphone. C'est peut-être son boulot qui le tracasse. Il stressait beaucoup à cause du travail, mais va-t'en savoir.

Et l'anniversaire d'Emma ?

Claire, mon cœur, j'ai rendez-vous chez le médecin aujourd'hui. C'est ce que j'essayais de te dire. Il n'y a pas de quoi s'inquiéter, mais ça me ferait drôle si tu ne le savais pas. J'ai remarqué que j'avais une boule au sein droit. Finalement, j'ai pris rendez-vous. Je voulais te le dire avant d'y aller, mais je n'en ai pas trouvé l'occasion. Je ne crois pas que ce soit inquiétant, donc s'il te plaît ne t'en fais pas une montagne.

Je t'aime, ma chérie.

Maman

Maman !

C'est incroyable que tu me dises une chose pareille sur un petit mot !

Comment tu te sens ? C'était comment, le toubib ? Je dois m'inquiéter pour toi ? C'est grave ? Tu ne vas JAMAIS chez le médecin…

Je vais garder des enfants mais je ne rentre pas tard.

Je t'embrasse fort,

Claire

Claire,

J'espère que je t'ai rassurée, ma chérie, et que tu n'es plus aussi inquiète. Comme je te l'ai dit, le médecin a été très bien avec moi. Je passe la mammographie demain après-midi, juste pour être sûre que tout va bien – il y a assez peu de chances pour que cette boule soit méchante.

Étant médecin moi-même, je suppose que j'en oublie de prendre ma santé aussi au sérieux que je devrais. Bref, tout va bien se passer, donc s'il te plaît cesse de t'inquiéter, vraiment il n'y a pas de quoi.

Je t'embrasse,

Maman

Je te dis merde pour le médecin aujourd'hui avec ton truc.
Désolée de ne pas pouvoir venir avec toi, maman…

J'ai encore rendez-vous la semaine prochaine, mon cœur. Tu veux m'accompagner ? Lundi 16 h 30 – si tu pouvais rentrer de tes cours à 16 heures on irait ensemble. Tu vois et tu me dis.

Bises,

Maman

Baby-sitting ce soir, maman. Je me grouille !!!

Je ne trouve plus ma clé. Tu seras là pour m'ouvrir ? Appelle-moi pour me dire.

Tu vas chez ton père ce week-end ? Ou veux-tu qu'on fasse quelque chose ensemble ?

Salut maman,

Je rentre tout à l'heure… On pourrait se regarder un film.

Tu peux me laisser 20 dollars en plus de mon argent de poche ? S'te plaîîîîîît ? J'ai voulu m'acheter des bouquins mais je n'avais pas assez. Je ferai la cuisine TOUTE LA SEMAINE PROCHAINE !
Tu te sens comment ?

Bisous

Je suis désolée, maman ! Je pensais pouvoir
t'accompagner, mais j'ai un truc au lycée.
Bonne chance chez le médecin ! Tu me raconteras...

Bisous

Maman ??????

T'es où ????

Ça fait une éternité que je t'attends, je pensais te trouver à la maison. J'ai appelé à l'hôpital, mais on m'a dit que tu n'étais pas revenue travailler après ton rendez-vous. J'ai même appelé papa pour savoir s'il était au courant de quelque chose. Tu me diras, c'est pas son genre de savoir où tu es !

Je m'inquiète. J'ai raison ? En cherchant « tumeurs au sein » sur Internet, j'ai réalisé que je ne savais pas au juste ce que je cherchais, et soudain je me suis dit que j'aurais peut-être dû prendre tout ça plus au sérieux. Si tu étais là, sans doute que je me bilerais moins, remarque…

Bon, ça me rend dingue de rester là à t'attendre. Papa vient d'appeler – il m'emmène manger un morceau. Je rentre bientôt. J'ai retrouvé ma clé.

Bisous

C

BONJOUR !!! MAMAN !

T'es où ? Qu'est-ce qui se passe ?

D'après ton planning, tu seras au boulot tout à l'heure. J'essaierai de te joindre là-bas. Pourquoi t'as pas de portable ????

Il y a de la pizza froide pour le petit déj' – je t'ai rapporté le reste de la mienne. J'aurais préféré que tu ne disparaisses pas comme ça. Je sais que j'aurais dû rentrer plus vite de la pizzeria, mais papa voulait discuter avec moi. Ne t'inquiète pas, je ne lui ai rien dit.

Je rentre directement après les cours.

Claire

Coucou ma Claire,

Désolée de t'avoir donné du souci, ma chérie. Je suis allée faire un grand tour en voiture. Je retourne chez le médecin à la fin de la semaine.

J'espère qu'on trouvera que tout va bien et que je m'inquiète pour rien.

Je t'aime. Je pense rentrer vers 8 heures.

Un certain Michael a appelé.

Bises,

Maman

Salut maman,

Merci pour ton mot. Tout va bien, maintenant ?

Suis chez Emma.

T'embrasse fort,

Claire

Coucou ma Claire,

On dîne ensemble, ce soir ? J'ai dû aller travailler ce matin. Je constate que le monde n'a pas arrêté d'avoir des bébés par égard pour ma petite personne.

Je sors en vitesse racheter à manger pour Jeannot – il n'a plus rien, même pas de carottes. Je reviens dans dix minutes.

Je t'aime,

Maman

Maman,

Donc on n'a plus qu'à attendre la fin de la semaine pour être sûres que tout va bien ?

J'ai horreur d'attendre, maman ! Tu te rappelles la fois où on a attendu le bateau et où on a failli rester coincées toute la nuit sur une île ? On était où, d'ailleurs ? J'avais quel âge ?

Au fait, j'ai eu 16 en bio.

On se voit au dîner.

Bisous

C'était délicieux ce dîner hier soir, Claire. C'est grand-mère qui t'a donné la recette des pommes de terre ? Elles étaient exactement comme les siennes. Et j'ai oublié de te dire : cette île, c'était en Indonésie. On t'y a emmenée quand tu avais neuf ans parce que ton père faisait des recherches là-bas. C'était juste avant qu'on décide de se séparer. Je suis étonnée que tu t'en souviennes. C'est curieux, les souvenirs que les enfants gardent de nous. Moi, je me rappelle que ma maman faisait des pommes de terre délicieuses et qu'elle dessinait avec nous quand on rentrait de l'école.

Ce Michael a rappelé.

Je reste tard au boulot. Je t'aime. Essaie de ne pas t'inquiéter, d'accord ?

Maman

P.-S. : Désolée pour l'argent de poche en retard.

Tu veux que je vienne avec toi, demain ?

C

Je peux très bien y aller toute seule.

À ce soir.

Bises,

Maman

Claire,

Il faut qu'on parle. Je suis dans ma chambre.

Je t'aime,

Maman

Mars

Je vois la femme que je veux être

Claire, je suis restée longtemps à regarder par la fenêtre avec Jeannot en pensant à la beauté du jardin. Avec la neige qui commence à fondre et sa fourrure pleine de soleil, j'ai l'impression que ça ne va pas si mal.

Je suis désolée, maman. J'ai dû le dire à papa. Il a compris que quelque chose ne tournait pas rond parce que je me suis mise à pleurer. S'il te plaît, ne m'en veux pas.

Bisous

C

Ne t'en fais pas. Nous avons mieux à faire que de nous fâcher. Je suis allée lui parler.

La clinique a appelé tout à l'heure. Ils veulent me voir demain.

Je t'aime vraiment, ma chérie.

Maman

Excuse-moi, maman. Je ne voulais vraiment pas te crier dessus, hier soir. C'est juste que je me suis trop inquiétée quand tu es sortie faire un tour, alors je me suis mis toutes sortes d'idées dans la tête sur ce qui avait pu t'arriver et… Je n'arrive pas à croire que j'aie pu te crier dessus alors qu'il t'arrive tout ça. Vraiment, désolée.

Je t'embrasse fort,

Claire

Ceci va peut-être t'étonner, Claire, mais je me souviens de mes quinze ans. Je suis plus compréhensive que tu ne crois. C'était quand même bien de lire ton mot. Veux-tu m'accompagner aujourd'hui – si tu rentres à temps ?
Mon rendez-vous est à 16 h 30. Je pars à 16 heures pile. Si tu ne peux pas aujourd'hui, veux-tu venir vendredi pour l'ablation de la tumeur ? Après ça, tout rentrera dans l'ordre.

Bravo pour avoir nettoyé la cage de Jeannot.

Maman

Désolée d'avoir raté ton rendez-vous, maman. Mais je peux venir vendredi.

Claire

Ton argent de poche est sur le comptoir. Il faut qu'on soit prêtes à partir à 8 h 15 demain matin.

Bises,

Maman

Maman,

Je ne m'attendais pas à ce que tout soit tellement sérieux et propre et tellement réel à l'hôpital. Quand tu te réveilleras : je suis dans ma chambre. Viens me retrouver...

Bisous

Claire

Tout va bien, mon cœur, ce n'était pas une grosse opération. Merci pour toutes les tisanes…

Coucou Claire,

Michael a appelé pour toi. Je croyais que vous étiez déjà sortis hier. Il se passe quelque chose avec lui ?

C'était bon de te voir ce matin, ma chérie.

Bises,

Maman

Gina a encore appelé, maman. Elle veut que tu la rappelles.

Je t'en dirai plus sur Michael une autre fois. Je pars chez papa pour un moment. Il voulait qu'on fasse quelque chose ensemble.

Comment tu te sens ?

Je t'embrasse fort,

C

Claire, je n'ai pas le temps d'aller à l'épicerie. Peux-tu y passer en rentrant du lycée demain et acheter :

lait
pain
œufs
fruits – je te laisse choisir
concombres et tomates
spaghettis – on n'en a plus du tout

Si tu as le temps, peux-tu aussi arroser les plantes ?

Je n'ai pas pu résister, je suis allée au boulot ! Une de mes patientes va avoir des triplés. Croisons les doigts.

Maman

Maman,

Je suis allée à l'épicerie. Tu peux regarder dans le frigo. J'ai arrosé les plantes. J'ai nettoyé la cage de Jeannot. J'ai fait le ménage dans le salon. Et dans la cuisine. Et j'ai fait la vaisselle.

Je vais me coucher.

Ta servante à demeure,

Claire

Claire !

Je sais que c'est difficile pour toi que je sois tout le temps au travail, mais à ton âge, moi aussi j'aidais mes parents.

Trois beaux bébés sont nés hier soir. Voilà qui rend le monde un peu meilleur. Je me sens d'humeur très positive. Mon rendez-vous est la semaine prochaine. On parlera de la suite. J'aimerais bien être débarrassée de tout cela très vite.

Je t'embrasse,

Maman

P.-S. : Ton argent de poche est sur le comptoir.

MAMAN !

DÉSOLÉE POUR LA DISPUTE ! Tout ce que je voulais dire, c'est que j'ai fait des tonnes de trucs dans la maison. Et voilà, je me sens mal à cause de tout ce qui se passe. Comment ça va, maintenant ?

Claire

Suis partie faire du baby-sitting.

Bisous

C

Jeannot n'a plus de carottes. Tu as le temps d'aller en racheter ? Il nous faudrait aussi du pain.

Maman

Suis sortie avec Emma.

Bisous

C

MAMAN ! Je le crois pas, tu as teint ma chemise en ROSE !
JE NE PEUX PLUS LA METTRE !

C'est aujourd'hui mon rendez-vous chez le médecin. Espérons que tout sera parti.

Bises,

Maman

P.-S. : Il faudrait vider le lave-vaisselle.

Une triste journée au boulot aujourd'hui, Claire. Tu te rappelles la prématurée qui est née en janvier ? Peut-être pas, sans doute pas, enfin bref, je la surveillais tout spécialement, je suppose qu'elle était mon petit rayon d'espoir dans cette histoire. Elle est morte cet après-midi. Elle était toute minuscule.

Pas trop le moral. Je vais marcher au bord du fleuve. Les nouvelles n'étaient pas bonnes, hier. Apparemment il y a une sorte de complication.

Maman

Qu'est-ce que ça veut dire, « une sorte de complication » ? Tout va bien ? Pourquoi tu ne me dis pas ce qui se passe ?

J'avais prévu de sortir avec Michael ce soir – désolée, vraiment. Ne t'en fais pas, je te PROMETS de rentrer tôt. Je reviens dès que possible.

Gina et Marcy ont appelé. Elles font un dîner le 5. Appelle Gina en rentrant.

Je t'embrasse très fort,

Claire

Michael a appelé deux fois.

Il a l'air gentil.

Maman

Mais oui, il est gentil ! On va au cinéma. On se voit quand je rentre ?

C

Tu peux me laisser 10 dollars en plus ?
S'te plaît s'te plaît s'te plaît s'te plaît ???

J'espère que tu t'es bien amusée hier soir, ma chérie. Je suis allée chez Gina histoire de papoter entre filles. J'aurais préféré le faire avec toi...

Je t'embrasse,

Maman

Désolée de t'avoir ratée, MAMAN ! J'avais un baby-sitting, et ensuite je suis allée réviser chez Emma. J'espère que Gina m'a bien remplacée. J'ai un GROS CONTRÔLE demain et J'AI UN PEU LES JETONS !!!!

Bisous

C

Bonne chance pour ton contrôle aujourd'hui, ma chérie. Désolée de ne pas être là pour le petit déj'. Des jumelles en route à l'hôpital.

La cage de Jeannot a besoin d'être nettoyée.

À ce soir.

Bises,

Maman

P.-S. : N'oublie pas ta clé !

Maman, si tu me cherches, je suis sortie courir. Il fait super-beau, je parie que tu n'as même pas pris le temps de le remarquer. Tous tes crocus sont sortis, et aussi les petites fleurs jaunes dont j'ai oublié le nom. Elles sourient toutes au soleil…

J'ai l'impression que ça fait des semaines qu'on ne se parle plus de rien. Je ne sais même pas ce que le docteur t'a dit sur le traitement et tout ça. Tout va bien ?

Mon contrôle s'est bien passé.

Bisous

C

Tu avais l'air fatiguée hier soir, maman, j'y ai repensé en allant me coucher. Est-ce que c'est plus inquiétant que je ne le crois ? Parfois, on dirait que c'est plus facile de poser les questions par écrit, pour te demander comment tu vas et comment ça se passe avec le médecin, tout ça.

Je me grouille d'aller en cours. Je dois retrouver Michael après, je ne serai sans doute pas là pour le dîner.

Bisous

Coucou Claire,

Et si tu invitais Michael à dîner ici un de ces jours ? Il faut qu'on fixe un soir où je ne suis pas de garde. C'était triste ici sans toi, ce soir. Jeannot n'a pas beaucoup de conversation !

Je sais bien que c'est plus facile de poser ces questions par écrit. J'essaie de réfléchir à certaines des réponses.

Je t'aime,

Maman

Nicole a appelé. Tu l'as rappelée ?

Biz

C

Je commence la radiothérapie aujourd'hui, je suis là-bas.
À partir de maintenant j'y vais tous les matins.

Maman

Ma maman à moi,

Quand tu te lèveras, si tu te sens mieux, viens dans le jardin. Il y a du jus de grenade pour toi au frigo.

Gros bisous,

Ta Claire

Comment ça va aujourd'hui, maman ? Je fais un saut chez Emma pour récupérer les devoirs que j'ai loupés. Appelle-moi si tu as besoin de quelque chose…

Gros bisous,

Ta Claire

Je vais bien, ma chérie. Merci pour toutes tes attentions.

Maman, je sors courir avec Emma. Je reviens dans une quarantaine de minutes.

Bisous

Salut m'man !

Michael m'emmène faire un tour en voiture.
Je rentre dans moins d'une heure.

Nicole a appelé. Et Gina aussi – elle sera là vers
6 heures, elle apporte le dîner.

Bisous

Bonjour Claire,

Aujourd'hui je vais travailler après les rayons.

Au fait, quel âge a Michael pour t'emmener en voiture ? Il faudrait peut-être qu'on en parle – tu n'as encore que quinze ans, Claire.

Ton père a appelé.

Maman

pommes
bananes
pamplemousse
brocolis
courgettes
saumon
noix
avocats
lait
pain
œufs
escalopes de dinde

Autant commencer le super-régime dès que possible, je suppose. Espérons que ça va m'aider !? Merci d'acheter tout ça, ma Claire.

Maman

Maman, je suis trooooooop crevée, je vais faire une sieste. Je nous ai loué un film pour ce soir : *Du silence et des ombres*. Je me suis dit que ça te plairait, c'est en noir et blanc.

Pas eu le temps de passer à l'épicerie, j'y vais demain, PROMIS.

Jeannot était trop trop mignon tout à l'heure, tu aurais dû le voir avec la carotte-jouet que papa lui a achetée. Au fait, il a appelé, il voulait te parler. Papa, pas Jeannot, HA HA HA. (Suis tellement crevée que ça y est, je deviens dingue !!!!!!!!)

Ça s'est passé comment, ce matin ?

Gros baisers et gros bisous et grosses bises et tout et tout,

C

P.-S. : Au fait, je ne trouve plus ma clé – tu l'as pas vue ?

Coucou Claire,

Je sais qu'on a décidé de manger sain toutes les deux, mais ça ne peut pas nous faire de mal d'acheter du tout-prêt pour un soir, d'ac' ? J'ai commandé du chinois : poulet au citron et bœuf pimenté. J'avais envie de faire un tour, alors je suis allée les chercher.

Du silence et des ombres, ça me va très bien.

Je suis un peu fébrile. J'espère que l'air frais me fera du bien.

Gros baisers à toi aussi,

Maman

Ma Claire,

J'ai dû partir tôt au travail. J'ai pris un peu de retard dans ce que j'avais à faire et cela m'a empêchée de dormir. C'est bête, je sais. Je ne devrais peut-être pas m'inquiéter pour le boulot avec tout ce qui se passe, mais je crois que ça va s'arranger. Dis-toi bien qu'il n'y a même pas d'antécédents familiaux.

Le film était très bien, merci. Merci pour tout ce que tu fais, ma chérie.

Je t'aime,

Maman

P.-S. : Tu as retrouvé ta clé ?

Salut maman,

Suis partie courir. J'ai laissé la porte de derrière ouverte.

Bisous

Maman,

Michael m'a dit qu'il ne voulait plus qu'on se voie autant.
Il a dit…

Je ne veux pas l'écrire. Je me sens super-mal. Je suis au jardin. Je n'arrive pas à croire qu'il me fasse ça EN CE MOMENT…

Bisous

Soirée film encore, ce soir, ma Claire ? Je rentre vers 7 heures. J'espère que la dernière soirée qu'on a passée ensemble t'a un peu réconfortée ?

Bonne journée, ma chérie. Ne te tracasse pas trop. Ce n'est pas ta faute.

Bises,

Maman

P.-S. : Ta NOUVELLE clé est sur le comptoir.

Maman, je suis sortie courir, au cas où tu te demanderais où je suis. Journée horrible au bahut. Je n'ai pas arrêté de penser à lui. Je ne comprends pas ce qui s'est passé... Il est tellement parfait pour moi, et je me croyais tellement parfaite pour lui !

À plus. Un film, bonne idée – une fois de plus. Peut-être que je devrais rester toute ma vie à regarder des films avec toi. Tu crois que je devrais l'appeler ???? Si je l'appelais pour lui dire qu'on peut rester amis ????

C

Comment s'est passée ta journée au lycée ? Un peu mieux ?

Ne sois pas triste, ma Claire chérie. Faisons quelque chose de chouette, ce soir. On pourrait réparer la cage de Jeannot. Oh, et puis tiens, je vais m'occuper de ça maintenant. Je crois qu'il fait assez chaud pour qu'on s'installe au jardin grignoter quelque chose. Si tu veux, on peut dîner dans le cabanon en regardant encore un film. Ça te dit ?

Je t'aime,

Maman

Je me sens NULLE, maman. Je n'imaginais pas que quelqu'un puisse me rendre aussi triste. Pardon pour mon humeur. C'est injuste de tout faire retomber sur toi, surtout avec tout ce qui t'arrive – j'aurais dû t'accompagner à tes séances de rayons au lieu de me comporter comme s'il n'y avait que moi qui comptait.

Suis sortie courir.

Ta fille malheureuse,

Claire

Ma Claire,

Je suis passée en coup de vent. Je reviens dans une vingtaine de minutes.

Tu n'es absolument pas nulle. Avoir le cœur brisé, c'est dur. C'est difficile, une histoire d'amour qui ne marche pas... À mon avis, si tu m'écris que tu es malheureuse, c'est que tu vas sans doute déjà mieux qu'au début de la semaine. C'est comme quand on réclame de nouveau à manger après une grippe : c'est bon signe, ma chérie. Bientôt tu iras mieux.

Parlons-en quand on sera rentrées toutes les deux.

Bises,

Maman

Maman,

On ne pourrait pas faire quelque chose ensemble ?
Les boutiques, par exemple ????

Nouveau jean
Tongs pour cet été, que je ne sois pas coincée dans mes baskets quand il va se mettre à faire chaud
Maillot de bain – sans doute un bikini, il y en a un joli chez *Isis* en ville
Petits hauts
Boucles d'oreilles – il y a de belles créoles chez *Sirens* et elles ne sont pas chères

Je sais que l'été c'est encore dans des siècles, mais je me mets dans l'ambiance. On pourrait peut-être organiser les vacances ou quelque chose comme ça ?
Oui, bon, je sais ! On peut toujours rêver !

MAMAN !

Je n'arrive pas à croire que tu me trouves tellement égoïste ! Je voulais juste aller acheter des fringues neuves. Ça ne veut pas dire que j'oublie que tu as des choses à faire, comme ton TRAVAIL et tes RENDEZ-VOUS CHEZ LE MÉDECIN. Tu es TOTALEMENT injuste.

Claire

MAMAN !

Tu ne veux pas me parler de ce qui t'arrive, alors pourquoi je devrais te raconter QUOI QUE CE SOIT ?

Claire

Michael a appelé. Je lui ai dit que tu serais là un peu plus tard. J'ai dit ce qu'il fallait ? Ça m'a un peu surprise de l'entendre, puisque d'après toi il ne comptait plus t'appeler. J'espère que tout va bien.

Je t'aime, mon cœur.

Maman

P.-S. : Peux-tu ranger le salon, s'il te plaît ? Tes devoirs envahissent tout.

MAMAN !

Je pars faire un tour en voiture avec Michael !!!!!!

Je rentre tout à l'heure. Ne t'inquiète pas !!!!!!

J'espère que tout s'est bien passé ce matin.

Bisous,

Claire

Claire,

Je vais me coucher, mais je t'ai attendue tard. Il y a école, demain. Et le salon est toujours en bazar.

Il faut que tu me dises demain ce qui se passe. Où as-tu filé ?

Maman

MAMAN !

Désolée d'être rentrée si tard, je sais qu'il y a école mais c'est EXCEPTIONNEL. Michael et moi, on est de nouveau ensemble. Il m'a dit qu'il avait eu tort et que JE LUI MANQUAIS !!!!!!!!!

Bises, rebises et rerebises !!!!!

Claire

Claire,

Je vais chez Gina.

Prends ton temps avec Michael. Il n'y a pas le feu.
Tu es encore jeune.

Bises,

Maman

Maman,

Emma voulait que je vienne l'aider à faire un devoir. Je rentre tout à l'heure. S'il te plaîîîîîîîîît, ne nous disputons pas encore à cause de Michael, d'accord ? C'était horrible ce matin. Je ne vois pas pourquoi tu stresses autant là-dessus. Et je ne suis pas si jeune que ça. Tu étais BEAUCOUP plus jeune quand tu as commencé à sortir avec papa – alors, où est le problème ?

Nicole a appelé.

C

Claire,

C'était épouvantable, hier soir. Tu es tellement sur les nerfs qu'on ne peut pas te parler normalement. Où est passée ma grande fille raisonnable ?

Je n'ai pas dit que je n'aimais pas Michael. Je ne le connais même pas – ce qui est déjà un problème en soi, d'ailleurs. J'ai dit que cela m'inquiétait que tu replonges tête baissée dans cette histoire alors qu'il m'a l'air un peu imprévisible. Je t'ai dit que je n'aimais pas la manière dont il t'avait traitée, ce qui est tout à fait sensé.

Essaie de ne pas rentrer trop tard ce soir.

Maman

Je suis rentrée et tu n'étais PAS LÀ, maman. Rien d'étonnant, de toute façon tu n'es jamais là. Et puis j'ai trouvé ton mot sur le frigo. Si tu étais ici, je te le dirais en direct, mais PUISQUE TU N'ES PAS LÀ IL FAUT BIEN QUE JE L'ÉCRIVE ! Michael est super. Il est drôle, intelligent, mignon, et il est là quand j'ai besoin de lui : je ne peux pas en dire autant de toi. Ni de papa. Et d'ailleurs, en parlant de papa, je ne pense pas avoir de conseils à recevoir de toi pour ma vie amoureuse, maman !

Ras le bol d'être raisonnable. Vais dormir chez Emma.

C

Je dois aller à la radiothérapie, et ensuite je passe au boulot pour quelques heures, ils ne peuvent pas se passer de moi. Je te trouve très injuste de dire que je ne suis pas là quand tu as besoin de moi. Pense à tous les films qu'on a regardés ensemble.

Sois là à mon retour.

Maman

Je dors encore chez Emma.

Claire

Claire,

Quel intérêt d'avoir un portable si tu ne l'allumes jamais ? Il a fallu que j'appelle chez Emma, et sa mère m'a dit que tu n'étais pas là. Cela m'a rendue malade d'inquiétude. Où es-tu allée ?

J'ai appelé au lycée mais on m'a dit que tu étais en cours d'anglais. Au moins, je sais que tu es en vie. Tu te rends compte comme j'ai eu honte de dire à la loge que je cherchais ma fille parce que je n'étais pas sûre qu'elle soit en cours ? Tu deviens incontrôlable, Claire, et j'espère vraiment que tu n'as pas passé la nuit avec Michael.

Puisque je sais que tu es vivante, je vais au travail. Travail qui paie la nourriture que nous mangeons, les vêtements que nous portons et le toit au-dessus de nos têtes.

Si tu n'es pas là à mon retour, c'est-à-dire vers 7 heures, tu seras punie, Claire. Si tu continues à te conduire comme une petite fille, je te traiterai comme une petite fille. Et vide le lave-vaisselle en rentrant.

Maman

Je suis chez papa. Je n'ai pas passé la nuit chez Michael. Évidemment, tu imagines toujours le pire.

Claire

Je t'aime, Claire, mais je ne peux pas tolérer ton comportement en ce moment.

J'ai parlé avec ton père hier soir et il m'a dit que tu allais passer à la maison prendre des affaires pour aller habiter chez lui. Je n'arrive pas à croire que tu fasses ça, Claire. Courir te réfugier chez ton père pour évacuer nos conflits, c'est très décevant et très puéril, ce qui prouve que, comme je le disais, tu es trop jeune pour fréquenter quelqu'un sérieusement.

Michael a appelé deux fois ce soir. Qu'est-ce que tu fabriques ?

Maman

Je suis chez papa si tu as besoin de moi.

Claire

Papa et moi on va dormir ce soir chez grand-père. Je suis passée prendre des affaires.

Claire

Maman,

Hier soir j'ai regardé un DVD pour les familles des gens qui ont un cancer du sein (c'est Emma qui me l'a pris à la bibliothèque). C'est dur à écrire, mais je crois qu'il faut qu'on parle plus de tout ça. Papa dit que si on se dispute autant en ce moment, c'est parce qu'on n'a pas assez parlé. Je ne sais pas trop si je dois m'inquiéter pour toi ou si je dois juste vivre ma vie. Tu fais comme si ce n'était pas vraiment un gros problème, alors peut-être que je devrais faire pareil.

Est-ce que je me fais trop de souci, maman ? Je dors ici ce soir.

Claire

Claire,

Il n'existe pas de livre de recettes pour me dire
comment vivre ma vie ou affronter tout cela.
J'aimerais bien.

Tu as le lycée, et une relation amoureuse et des tas
de choses à faire, comme toute jeune fille
de quinze ans normalement constituée. Quand tout
s'arrangera, nous pourrons revivre comme avant.

Je suis contente que tu aies décidé de passer du
temps à la maison. Je sors juste faire un petit tour
au bord du fleuve. On pourra se parler à mon retour.

Bises,

Maman

Est-ce que tu me caches quelque chose, maman ? Tu avais l'air ailleurs, hier soir. Pardon pour toutes les engueulades.

Maman,

Parle-moi, s'il te plaît.

Claire

Je n'y arrive pas, Claire. Je suis désolée mais je n'y arrive pas.

Patience.

Maman

Ma Claire chérie,

Si mon état s'aggrave, je veux que tu ailles vivre chez ton père. Ce n'est pas que je ne t'aime pas.
Ne pense jamais une chose pareille, je t'en prie.

Bises,

Maman

Maman,

Je tremble encore en écrivant. Je viens de rentrer et de trouver la maison déserte – toutes les lumières éteintes. Personne dans la cuisine, et je vois un mot accroché sur la porte du frigo avec le magnet que je t'ai offert – celui avec une photo de moi bébé : tu as remarqué que tu t'étais servie de celui-là en m'écrivant ton dernier mot ?

J'ai vu la plante dans le coin, le cactus qui arrive presque au plafond. Je ne me rappelais pas qu'il était si haut. Ensuite j'ai lu ton mot.

Des tas de gens en guérissent tous les jours. J'essaie vraiment d'être forte pour toi, mais tu ne dois pas oublier que tu vas t'en sortir, maman – il le faut.
Tu vas t'en sortir.

Claire

Maman,

Je viens de trouver ta lettre pour moi dans la poubelle. Pourquoi l'as-tu jetée ? Pourquoi tu ne m'as pas dit ce qui se passe ? C'est vraiment grave ?

Je suis désolée qu'on se dispute autant. Ça va ?

Claire

Claire,

Je rentre vers 6 heures, ce soir. Quand tu auras eu ce mot, peut-être que tu pourrais rester m'attendre.

Comment te le dire ? Je commençais à peine à penser à ma guérison, et voilà que cela redémarre ailleurs. En principe, ça ne se passe pas ainsi – je sais, j'ai vu des femmes s'en remettre. Ensuite tu n'étais plus là à cause d'une dispute idiote entre nous. Oh, Claire, j'ai été tellement bête ! Ton mot de l'autre semaine, celui où tu me disais que tu venais de regarder le DVD pour les familles de victimes du cancer du sein, sais-tu que j'ai pleuré pendant une heure en le lisant ? Sais-tu que c'est la première fois que je me suis vraiment avoué que j'avais un cancer du sein ? Moi, j'ai un cancer du sein. En vrai. Et ça ne s'arrange pas.

J'ai été trop faible pour reconnaître que j'avais besoin de toi. Je ne voulais pas que ma vie perturbe la tienne, et je ne voulais pas t'obliger à modifier tes activités ni à cesser d'être ma petite fille.

Je ne veux pas que ton père soit au courant des dernières nouvelles. Pas encore. Pas tant que je n'ai pas retrouvé la terre ferme sous mes pieds.

Je t'aime,

Maman

Juin

Forte et courageuse

J'ai trouvé un livre pour toi, maman. C'est de la poésie écrite par d'autres survivantes. Ça te plairait peut-être aussi d'écrire des poèmes ou de peindre, ou de faire quelque chose de créatif. Ça te ferait peut-être du bien. Je sais que ça peut paraître bizarre en ce moment, mais il faut garder l'espoir, pas vrai ? C'est ce qui est dit dans le livre.

Tu es tellement forte ! Même toute petite, je savais que tu étais la plus forte de toutes les mamans, et la plus rapide. Tu te rappelles que c'était toujours toi la première à la course des parents, pour la fête de l'école ?

Tu avais vingt-huit ans quand tu m'as eue. Je me demande à quoi tu ressemblais à quinze ans. Je me demande si on aurait été copines au bahut. Je parie que oui.

On dirait bien que l'été est arrivé sans prévenir. Il fait beau aujourd'hui. La cuisine est pleine de soleil et ça me donne de l'espoir. Je sais que tu vas t'en sortir, maman, je le sais.

Je t'aime, excuse-moi pour le mois dernier et toutes ces histoires avec Michael. Je suis désolée d'être partie chez papa. Je ne sais pas ce qui m'a pris. Je trouve ça trop bête, maintenant.

Je rentre à 5 heures. J'ai fait du café. Du déca !

Je crois vraiment qu'on devrait parler à papa de ce qui se passe. Et à Gina.

C

Merci pour le livre, ma chérie.

Je vais m'allonger.

Maman

P.-S. : Peux-tu sortir la poubelle ?

Je t'appelle à l'heure du déjeuner. Plus que deux semaines d'école ! Et après, c'est L'ÉTÉ !!!!

C

(Il me faut des tongs !)

Comment ça s'est passé chez le médecin aujourd'hui, maman ? J'aurais bien voulu que tu me laisses venir avec toi. J'ai appelé mais tu n'étais pas à la maison. J'espère que tu es partie te balader en voiture et qu'ils se sont plantés sur toute la ligne.

Je suis au jardin avec Jeannot. Je prends le soleil. Je me sens bizarre.

Claire

Je suis rentrée, j'ai lu ton mot, je suis allée à la porte de derrière, je t'ai regardée dans le jardin, et je n'ai pas pu te parler, Claire. Comment te dire que la vie n'est pas aussi belle qu'elle le devrait ? Je vais me battre. Vraiment je vais me battre. Mais je ne trouve pas la force de te répéter en face ce que m'a dit le médecin. Je suis désolée.

Je vais m'allonger.

Maman

Tu avais l'air toute petite dans ta chambre hier soir, maman. Oh, mon Dieu, je n'arrive pas à croire que tout ça soit vraiment en train d'arriver. Je ne comprends pas comment les choses ont pu se passer si vite. Je croyais que tout allait s'arranger. Je pensais que ça n'arrivait qu'aux autres. J'ai une amie au lycée dont la grand-mère a survécu. Elle mangeait beaucoup de brocolis et faisait beaucoup de gym. Comme toi. Tu vas t'en sortir.
ET TU ES BEAUCOUP PLUS JEUNE
QUE LA GRAND-MÈRE DE MA COPINE !!!!!!

Je crois en toi, maman. Tu vas t'en sortir. Je te vois au déjeuner.

Claire

Claire, en rentrant, appelle ton père sur son portable. Il t'emmènera me rejoindre chez le médecin. Il faut qu'on parle de ça tous ensemble.

Je ne suis pas sûre que ta confiance en moi puisse tout arranger, ma Claire, ni les brocolis et la gym. Je suis désolée, ma chérie. Allons tous écouter le médecin ensemble et trouver une solution.

Je t'embrasse,

Maman

On ne peut pas abandonner tout espoir, maman. Des tas de gens en guérissent. Et pense à tout ce qu'il te reste encore à faire ! Tous ces bébés à mettre au monde. Et t'occuper de moi.

L'opération et la chimio vont arranger les choses. Tu vas aller mieux, je le sais.

Brocolis et gym au programme, ce soir. On va aller marcher le long du fleuve. On peut aller voir ces fleurs roses que tu aimes – comment elles s'appellent, déjà ? Ou on peut aller au bord de l'eau regarder le soleil se coucher. Je te tiendrai la main tout le temps, maman. On se voit à 16 heures ?

Je t'embrasse fort,

Claire

D'accord, Claire. Allons nous promener le long du fleuve, mais il faut d'abord que je passe chercher quelque chose chez Nicole. Et oui, je lui dirai que nous avons besoin d'aide.

Une promenade, avec grand plaisir. Gym et brocolis. Tout ce que tu voudras, ma chérie.

Maman

Peux-tu aller acheter du pain et du lait, s'il te plaît, Claire ?

Maman

Emma a appelé.

Maman

J'ai un baby-sitting ce soir mais je rentre tout de suite après. DERNIER JOUR D'ÉCOLE DEMAIN !!!! YOUPI !!!!! YOUPI !!!!!!!!!!!!!

C

Claire,

Je vais m'allonger.

James du lycée a appelé.

Bises,

Maman

Michael a appelé, mon cœur. Il ne peut pas pour ce soir. Il a demandé que tu le rappelles.

J'espère que tout va bien ?

Maman

Pourquoi est-ce que ça t'arrive à toi, maman ? Pourquoi ça va si vite ? Tout allait bien, à Noël.

Je suis dans la chambre du fond, sur Internet, j'essaie de comprendre comment va se passer l'opération. Tout va bien avec Michael. Je crois qu'il a juste trouvé un peu déprimant que je lui parle de cette histoire, c'est tout. Il n'y connaît rien, de toute manière !

Ça n'a pas l'air réel ???? N'est-ce pas ????

Je t'embrasse fort,

Claire

Ma chérie,

Je ne peux qu'affronter les faits, Claire. Je pensais pouvoir aller au travail tout en suivant cette horrible radiothérapie. Mais c'était vraiment dur, et j'aurais dû te dire à quel point je me sentais mal. Je n'ai pas l'habitude d'être de ce côté-ci du bureau du docteur, tu sais ? Les médecins sont les pires patients.

Ensuite, on m'a tout retiré des mains. Car je ne contrôle rien, Claire. Je ne peux pas contrôler tout cela, et c'est ça qui me fait vraiment peur.

On devrait prendre des notes la prochaine fois qu'on ira chez le médecin. Tu pourrais être ma preneuse de notes.

Il faut que j'aille me reposer. À tout à l'heure.

Je suis prête pour demain.

Je t'embrasse,

Maman

Je t'ai fait du bouillon de poule, maman. Comment tu te sens ?

Maman, quand tu te lèveras : je suis dans le jardin. Je lis encore un livre de poèmes écrits par des gens qui ont traversé la même chose que toi. L'une des auteures dit qu'en perdant ses seins on se sent moins femme. C'est dur à comprendre pour moi, parce que j'ai du mal à te voir comme ça, maman, comme le genre de femme qui se sent femme et pas juste comme une maman. Est-ce que ça a un sens, ce que je dis ? Peux-tu me parler de tout cela ? J'essaie de devenir plus mûre, mais c'est VRAIMENT dur.

Je ne sors pas longtemps et ensuite je viendrai voir comment tu vas, comme ça si tu n'as pas envie de venir me rejoindre dehors je te promets que je serai bientôt avec toi dans ta chambre.

Je t'embrasse fort,

Claire

Bonjour maman !

Je vais t'acheter un chapeau avec papa (juste au cas où). Il m'a dit qu'il en avait vu un très beau mais il voulait que je vienne le voir avec lui.

Tu assures, maman. Je suis fière de toi. Tu seras de retour au boulot avant d'avoir le temps de dire ouf – tu vas retrouver ta vie normale en un rien de temps.

Papa pensait peut-être rester ce soir. J'espère que ce n'est pas un problème ?

Je t'embrasse fort,

Claire

P.-S. : J'ai ma clé.

Je suis désolée de m'être fâchée comme ça contre toi, Claire. Je fais de mon mieux. D'abord il faut que j'affronte les suites opératoires, ensuite je penserai à la chimio. Et après, je pourrai me concentrer sur la guérison.

Maman

Je suis avec Michael – il m'emmène rendre le chapeau. Excuse-moi, maman. Papa et moi, on ne voulait pas te faire de peine. Je sais bien que tu as encore tes cheveux et que tu ne les perdras peut-être même pas. J'essayais de te remonter le moral.

Bientôt tu te sentiras mieux. Il reste de la soupe au frigo.

Claire

Je suis au jardin avec Emma et James. Ils sont passés voir s'ils pouvaient faire quelque chose dans la maison pour nous aider. Trop gentil !!!!

Viens nous rejoindre. Ça te remontera peut-être le moral de venir t'asseoir au soleil ????

Claire

Je suis désolée qu'Emma et James soient venus, maman. Je pensais que ce serait bien d'avoir un peu de compagnie, mais la prochaine fois que je voudrai inviter des copains je te demanderai d'abord, OK ?

Moi je te trouve très belle.

Je t'embrasse fort,

Claire

Excuse-moi, Claire. Je ne m'attendais pas à être dans un état aussi épouvantable. Je me sens un peu plus forte à présent, mais ça m'a mise par terre. Au moins je ne risque plus de perdre mon sein droit, c'est déjà fait (c'était censé être une blague, mais ce n'est pas vraiment très drôle). C'est gentil de me dire que je suis belle. Je ne me sens vraiment pas belle. C'est comme si j'étais sous l'eau et que je ne trouvais plus comment remonter à la surface. Je suis un peu perdue, c'est tout. Je ne veux pas que tu t'inquiètes pour moi.

La chimio va bientôt commencer.
Tu pourrais peut-être m'accompagner ?

Pour mes cheveux, croisons les doigts.

Ta maman

Quand je te regarde
Je vois la femme que je veux être
Forte et courageuse
Belle et libre

Claire

P.-S. : Je t'aime

Tout s'est passé si vite, ma Claire. J'ai l'impression d'avoir perdu tout contrôle, et quand je me regarde je ne sais plus qui je suis. Est-ce que c'est ça, la vie ?

Excuse-moi, je ne veux pas t'accabler. Tu n'as que quinze ans.

Je te préparerai ton petit déjeuner à mon retour. J'en ai pour dix minutes.

Je t'embrasse,

Maman

Claire,

Désolée d'avoir oublié ton argent de poche. Il est sur le comptoir. Il y a 10 dollars en plus, mon cœur.

Bises,

Maman

James a appelé. Il a demandé que tu le rappelles.

Bisou,

Maman

Maman,

Je suis en train de prendre mon petit déj', mais impossible de te trouver. Tu dois être au jardin.

J'ai fait cette liste pour papa et je la recopie pour toi. MAIS UNIQUEMENT PARCE QUE TU ME L'AS DEMANDÉE !

Cadeaux d'anniversaire :

Livres – j'aime bien Sylvia Plath
Maquillage
Bijoux
iPod
Ordi portable au lieu de votre ANTIQUITÉ de PC
Fringues, ou bons d'achat pour chez *Isis*…

Presque seize ans !!!!

MAMAN !

Emma et James pourraient peut-être venir ce week-end, et je pourrais éventuellement inviter quelques amis en plus. Cheryl, Juliette, Alison, Ellie, peut-être Jim, Sandy et Robb ? Et peut-être aussi Michael ?????!!!!!! On pourrait se réunir ici, dehors, et faire un barbeqiou (COMMENT ÇA S'ÉCRIT ???? BARBEUQUIOU ? BARBE-KIOU ?????)

Que dis-tu de samedi ? Tu te sens d'attaque ? Sinon, on pourrait tous aller chez papa et tu nous rejoindrais, comme ça tu n'aurais pas de cuisine à faire ?

JOYEUX ANNIVERSAIRE
JOYEUX ANNIVERSAIRE
JOYEUX ANNIVERSAIRE, MA CLAIRE
JOYEUX ANNIVERSAIRE

Joyeux anniversaire à ma belle, ma courageuse fille. J'ai peine à croire qu'il y a seize ans déjà, tu étais un minuscule bébé parfait. Je me rappelle ton premier cri. Tu étais un petit miracle.

Je suis dans le jardin avec Jeannot. On va prendre le petit déjeuner dehors (je suppose qu'il ne mangera que des carottes et des graines – moi, je vais déguster un bagel au saumon… j'en ai un autre pour toi…). Quel bel été !

Je t'aime, miss Anniversaire.

Maman

Merci pour le petit déjeuner et pour tout, ce matin, maman. J'adore TOUS MES CADEAUX ! Le plus beau de tous, c'était de te voir dehors.

Cette robe t'allait super-bien.

Claire

Quand la chimio aura commencé demain, je ne pourrai plus aller au soleil. Tu savais ça, ma chérie ? Il paraît que les produits chimiques réagissent mal au soleil, c'est pourquoi je suis restée un peu au jardin ce matin, à profiter de sa chaleur sur mon visage.

C'est incroyable le nombre de pilules que je dois prendre. Et le pire, c'est que je ne suis même pas sûre que la chimiothérapie soit une bonne chose. Le nom à lui seul fait froid dans le dos.

Maman

Je suis navrée pour ce samedi, Claire. Je sais que tu te réjouissais à l'avance d'inviter tes amis à la maison. Je m'en veux terriblement.

Je t'embrasse,

Maman

Ne t'excuse pas, maman. C'est moi qui devrais être désolée. Je regrette de t'avoir donné du souci à cause de Michael, ce printemps. Est-ce que c'est ma faute ? Est-ce que tout est ma faute ?

Claire

Ce n'est la faute de personne, Claire. Parfois la vie est comme ça, c'est tout. Peut-être que c'est ma faute à moi, pour avoir essayé de te protéger au moment du divorce. J'aurais voulu t'empêcher à jamais de voir que le monde peut être mauvais, que la vie est difficile, que parfois on ne contrôle pas son destin.

Ce n'est pas ta faute, Claire. Ce n'est la faute de personne. Parfois, c'est juste la faute à pas de chance.

Nous n'avons pas beaucoup reparlé de Michael. Je sais que tu le vois toujours. Comment ça se passe ? Je ne me fâcherai pas.

Je t'embrasse,

Maman

P.-S. : Emma a appelé.

On n'a plus de lait – il y a des sous sur le comptoir (avec ton argent de poche et ta clé – elle était sous la table de la cuisine).

Coucou maman,

J'ai peur d'avoir quelque chose. Je sens mon cœur qui bat trop vite. J'ai l'impression que toutes les couleurs de ma chambre sont plus vives. Je ne sais pas comment dire, mais on dirait que le bleu est plus bleu, que le rouge est plus rouge, et que tout d'un coup le jaune est jaune comme s'il était en plein soleil. Je dois avoir l'air de dire n'importe quoi, pardon ! C'est juste que je me sens bizarre. Comme si j'avais trop mangé : j'ai un poids sur l'estomac. C'est encore pire en l'écrivant, en fait. Qu'est-ce que j'ai ? Peut-être que j'ai besoin de sortir de la maison ?????

Tu veux qu'on parte en vacances après la chimio ? Pas dans un endroit cher, mais on pourrait prendre la voiture (papa peut garder Jeannot) et s'en aller quelque part. Tracer la route entre filles...

Au fait, à propos de Jeannot, son oreille a l'air chiffonnée – tu crois qu'il s'est fait mal ?

Gros bisous,

Claire

Claire,

Ce que tu me décris, cette sensation, ça ressemble un peu à de l'anxiété. On peut t'emmener voir le médecin si tu veux. Mais je t'en prie, ne t'en fais pas, ma chérie, tout va s'arranger.

Je suis capable de vaincre cette chose.

Et on parlera vacances plus tard. Je n'arrive pas à y penser pour l'instant. Ce serait comme d'être au bout de la route, alors que je ne l'ai pas encore parcourue.

L'oreille de Jeannot m'a l'air tout à fait normale.

Je t'embrasse,

Maman

Ma Claire,

J'ai le cœur tout palpitant, comme si j'avais un oiseau-mouche coincé à l'intérieur. Je vais m'allonger.

Maman

Je viens de me rappeler, ton argent de poche était sur le comptoir, l'autre jour, avec les sous pour le pain et le lait. Il doit être dans une poche de ta veste.

Tu es toujours anxieuse ?

Maman

James a appelé. Il a dit qu'il réessaierait plus tard.

Bises,

Maman

Suis chez Emma jusque vers 21 h 30.

Bisous,

Claire

Ma pauvre Claire,

Pas terribles, ces grandes vacances, hein ?

Je me rattraperai. Un jour.

Maman

Je n'ai pas besoin de grandes vacances. Je veux juste que tu ailles mieux.

Je t'embrasse fort,

Claire

Michael a appelé. Il n'est pas libre ce soir.

Bises,

Maman

Il fait trop chaud aujourd'hui, j'ai besoin de m'allonger.

Bises,

Maman

Michael a appelé. Rappelle-le quand tu rentres.

Tout va bien ?

Bises,

Maman

Claire, j'ai souri toute la journée en repensant à toi en train de danser dans la cuisine ce matin.
La pelouse commence à griller et ce pauvre Jeannot étouffe de chaleur, mais toi tu es fraîche et nette et tu danses.

Je t'embrasse,

Maman

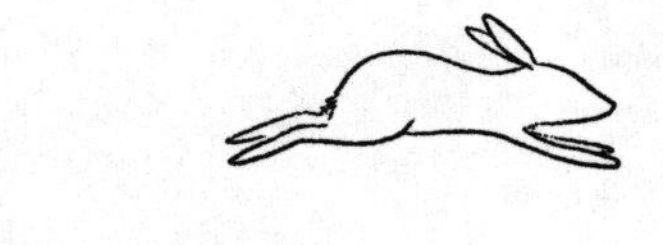

Septembre

Belle et libre

Coucou maman,

Tu as été trop courageuse à l'hôpital ! Je me suis demandé quel effet ça faisait d'être toi, d'avoir ce truc qui se passait dans ton corps. Ce que je sais, c'est que ça m'a fait bizarre. C'est vrai, c'est toi l'adulte et pourtant c'est moi qui faisais tout pour prendre soin de toi.

Je ne te l'ai pas dit, mais l'infirmière est venue me parler. Elle m'a donné quelques livres. On pourrait les lire ensemble ???

Je t'embrasse fort,

Claire

Coucou Claire,

J'espère que la rentrée s'est super-bien passée et que tu es encore dans la même classe qu'Emma. Il y a des restes de pâtes et de salade au frigo, et je t'ai acheté une tranche de cake au cappuccino à la boulangerie pour te faire une surprise.

Il faut que j'aille m'allonger un moment.

Maman

Salut maman,

Gina et Nicole nous apportent à dîner ce soir et elles le feront aussi souvent qu'il le faudra pendant la chimio pour que tu puisses te reposer. Gina me l'avait proposé il y a quelques semaines et je lui avais dit qu'on se débrouillait très bien. Mais quand elle m'a reposé la question, je me suis dit qu'un peu de compagnie ne pourrait pas nous faire de mal.

Ça te va ?

C

Comme vous voulez.

Maman

Tu veux quelque chose, maman ?

Écris-le-moi.

C

Aller mieux.

Maman

J'ai écrit des poèmes que miss Manda a trouvés très bien. Je t'en montrerai quelques-uns, si tu veux. Je suis moins angoissée qu'avant. Je sors avec Emma juste un petit moment, je rentre à 18 heures maximum, promis !

Gina sera là avant moi. On mange des lasagnes, ce soir. CHOUETTE !

Claire

Comment va ton bras aujourd'hui, maman ? Tu veux qu'on appelle l'hôpital pour leur en parler ?

Grosses bises,

Claire

Coucou Claire,

Je crois qu'il va me falloir un chapeau. Est-ce que tu as rendu le joli bleu, finalement ?

Je vais m'allonger.

Maman

Quand la route tournera
Nous y serons ensemble,
Nous prendrons le virage
Accrochées l'une à l'autre,
Comme une mère
Et sa fille,
Comme une fille
Et sa mère.

Miss Manda m'a appelée pour me dire que le journal du lycée allait publier celui-ci. J'aimerais bien être écrivain plus tard, peut-être.

Claire

J'ai adoré ton poème, mon cœur.

Je ne me sens pas d'attaque aujourd'hui. Ce matin ça allait, mais là je suis claquée.

Prochaine séance demain. Je ne suis pas sûre de la supporter. J'ai la nausée rien que d'y penser.

Maman

P.-S. : James a appelé.

Je t'accompagne.

Je t'aime,

Claire

Heureusement qu'il se met à faire moins chaud, mon cœur. Je sais que tu adores l'été, mais c'est agréable quand le temps change… Bientôt les feuilles seront de toutes les couleurs.

Ton argent de poche est sur le comptoir.

Maman

Il est tôt ce matin, Claire, et il y a longtemps que je suis assise ici à réfléchir. Je pense à toi et moi, et à ton père. J'ai l'impression que depuis que nous nous sommes séparés, tu as été obligée de grandir beaucoup plus que je ne t'en aurais crue capable. Pense un peu à toutes les courses que tu as faites, et la cuisine, et maintenant voilà que tu t'occupes de moi. Je sais que Gina te donne un coup de main, mais vraiment, tu m'as énormément soutenue et je me demande si j'en ai assez fait pour toi dans le passé.

Ai-je été une bonne mère ? C'est le genre de questions que toutes les mères ont envie de poser, mais souvent on n'en a pas l'occasion.
Ou on n'ose pas.

Je t'aime,

Maman

Maman,

Je ne sais pas quoi te dire. Tu es ma mère, et tout ce que je veux c'est que tu guérisses. Je ne suis peut-être pas aussi mûre que ce que tu crois.

Je vais faire un tour. Michael m'a appelée, et quand je lui ai dit que j'étais occupée aujourd'hui ça l'a déçu, alors on va sortir un petit moment. Je rentrerai à l'heure.

Je t'embrasse fort,

Claire

MAMAN !

Tu aurais dû m'attendre. J'étais là à l'heure ! Maintenant, te voilà toute seule à l'hôpital et moi ie suis coincée ici à grimper aux murs.

J'aimerais bien que tu réfléchisses deux minutes de temps en temps. Tu ne me facilites pas la vie quand tu fais des trucs pareils, et je ne peux même pas me mettre en colère contre toi parce que tu es malade.

Je suis au jardin avec Jeannot.

Claire

Gina m'a dit qu'elle t'avait reconduite à la maison, hier. Elle va dormir ici, et moi je vais aller chez papa. Je pense que c'est une bonne idée.

J'espère que ça va, maman.

Claire

Gina m'a dit que vous étiez allées à la boutique *Rose Bush* sans moi. Elle m'a raconté qu'ils t'avaient aidée à trouver un soutien-gorge et qu'elle t'avait même entendue rire. Je dors encore chez papa.

Claire

Salut maman,

Je suis rentrée de chez papa. Une fois là-bas, j'ai compris que je ne m'y prenais pas comme il fallait.

Je dors ici ce soir.

Je t'embrasse fort,

Claire

Ma Claire,

Je suis désolée. Ces derniers temps, je me suis comportée comme s'il n'y avait que moi au monde, comme si tu n'avais pas besoin que je sois là pour toi, et comme si je n'avais pas besoin que tu sois ici avec moi. J'ai besoin de toi, ma chérie, c'est juste que j'ai du mal à faire la transition de mère seule qui se débrouille sans l'aide de personne à demi-femme qui a besoin de sa fille pour s'occuper d'elle.

Le médecin m'a donné les coordonnées d'un groupe de femmes de la région qui ont survécu à un cancer du sein ou qui en ont un en ce moment, comme moi, et Gina m'y a emmenée hier. C'est incroyable le nombre de femmes qui traversent cela, le nombre de femmes autour de nous qui ont les mêmes problèmes. L'une d'elles n'a que trente ans et sa fille en a six. Elle sait qu'elle est en train de mourir et elle n'a plus d'espoir. Elle m'a tenu la main et m'a dit que je devais être forte pour toi, que je devais t'inclure. J'ai tenu ses doigts fins et elle les a serrés fort. Elle m'a dit : « Ne perdez pas de temps. »

Elle a raison, Claire, il faut que je te parle. Il faut que je m'ouvre et que je te traite en adulte. Je me suis contenue pour que tu restes jeune, rayonnante et lumineuse, mais en réalité je t'ai fait du tort. Si je te laissais la possibilité d'être adulte, tu le deviendrais. Je dois y arriver.

J'ai été très déprimée et terrorisée ces derniers temps. Je me suis demandé quel sens avait eu ma vie. Pendant des années, je suis partie du principe qu'il fallait vivre ses rêves, et je sens maintenant que ces années sont derrière moi, que j'ai eu mon heure et que je l'ai gâchée sans savoir comment, que je suis passée à côté. Je t'ai eue, ma fille chérie – t'avoir a donné un sens à ma vie et m'a apporté des joies incomparables. Mais tout le reste de ce que je voulais faire ? Je ne suis jamais allée en Afrique. Je n'ai jamais lu Proust. Je n'ai jamais appris à jouer du piano ni même à lire la musique : ces taches noires sur une page que d'autres savent traduire en sons merveilleux sont un mystère pour moi, et le resteront peut-être à jamais. Je n'ai jamais sauté en parachute, je n'ai jamais vu le désert, je ne suis jamais allée à la pêche.

Je sais que tout n'est pas perdu, qu'il y a encore de l'espoir, mais je dois m'autoriser à envisager les deux possibilités, et quand tu souris et que tu me parles de gym et de brocolis, je me sens épuisée, tout simplement épuisée. Je ne suis pas désespérée, j'essaie juste de penser à tout jusqu'au bout.

Je suis fatiguée, vraiment fatiguée, je ne me sens pas très bien aujourd'hui.

Je t'ai dit tout ce que je pouvais pour le moment.

Je t'aime,

Maman

Coucou maman,

Il y a beaucoup de choses dans ta lettre que j'ai trouvées difficiles à lire. J'aurais aimé savoir tout ce que tu AS fait dans ton existence, mais à la place tu ne me parles que de ce que tu n'as pas fait. Et je me suis rendu compte que je ne connaissais pratiquement rien de ta vie. Qu'est-ce que tu faisais à mon âge ? De quoi vous parliez, papa et toi ? Vous vous êtes rencontrés où ? Est-ce que tu l'as épousé uniquement parce que tu étais enceinte de moi ? Pourquoi vous avez divorcé ? Est-ce que ç'a été dur de m'élever toute seule ?

Toutes ces questions me font pleurer, maman, sans que je sache pourquoi. Peut-être qu'elles sont une ouverture sur un monde dont je commence tout juste à percevoir les contours. Un monde d'adultes. Ça fait peur et ça ne me plaît pas.

Michael et moi, on ne s'entend plus trop bien. Il n'est pas aussi génial que je croyais. Ne t'inquiète pas pour moi, mais je crois que je vais rompre avec lui. Emma est d'accord. Elle dit qu'il est HORRIBLE et que je n'aurais jamais dû me remettre avec lui !

Je t'embrasse très fort, ma maman,

C

C'est fou parfois comme tu ressembles à ma mère, Claire. Je ne sais pas si je te l'ai déjà dit.

Le groupe de soutien, c'est ce soir. J'ai oublié de te le dire au petit déjeuner. Je réchaufferai le ragoût de Nicole et on pourra y aller ensemble.

Ai-je répondu à toutes tes questions ?

Bises,

Maman

Je trouve que c'est une idée géniale de faire un album photo, maman. Je ne savais pas qu'on avait autant de photos de famille !

Commençons ce soir.

Merci de m'avoir emmenée au groupe, hier soir. Je me sens moins seule – tu vois ce que je veux dire ?

Je t'embrasse fort,

Claire

Je me suis amusée comme une folle, Claire. J'aimerais pouvoir rester toute ma vie à découper des photos à la table de la cuisine avec toi. Vivement ce soir.

Si on mettait certains de tes poèmes avec les photos ?

Le lave-vaisselle est plein, il faudrait le vider.

Bises,

Maman

Salut maman !

Je rigole encore en repensant à la photo de Jeannot sur ta tête. Dommage que je ne me souvienne pas de ce jour-là !

Je sais que tu ne guériras peut-être pas, maman – même si c'est incroyablement difficile à écrire, j'ai compris, et je sais pourquoi il fallait qu'on en parle, hier soir. Ce serait la chose la plus dure au monde si ça arrivait, mais je ne veux pas que tu t'inquiètes pour moi. Tu m'as donné la force d'affronter l'avenir.

Je reste optimiste tout en me préparant au pire, maman. Ça te semble bien, comme compromis ?

Amour, force, lumière et baisers,

Claire

Je regrette d'avoir traîné si longtemps avant d'aller voir le médecin. Je n'arrête pas de me dire que peut-être, si j'y étais allée tout de suite, tout n'aurait pas aussi mal tourné. J'aurais dû être plus responsable, Claire, plus comme j'aurais été si j'étais une meilleure mère.

Même le médecin dit que c'est atypique. Ce n'est pas ta faute.

Je ne veux pas d'une « meilleure mère ». Je t'ai, toi.

Je suis en train de faire une liste pour Gina, maman.
On a besoin de quoi ?

Œufs
Beurre de cacahouète
Fruits
Lait de soja
Jus d'orange
Pain
Fromage

On n’a plus d’huile d’olive ni de vinaigre. De la salade, ce serait bien.

Comment ça va, aujourd'hui ? Je pense à toi, ma maman.

À plus,

Bisous

On s’est trop bien amusées hier soir, maman !
C’était bon de te voir sourire !

Bisous

Claire, ma chérie,

Je me sens un peu oppressée. Je retourne voir le médecin demain.

James a appelé. Il m'a demandé comment j'allais. J'ai dû me retenir de pleurer. Il a l'air adorable.

Maman

Claire, ma chérie,

Je vais passer la nuit à l'hôpital. J'ai prévenu papa. Il t'emmènera me voir tout à l'heure.

Je t'aime,

Maman

Claire,

Je vais passer encore quelques nuits à l'hôpital. Gina m'a emmenée ici avec sa voiture pour que je prenne quelques affaires. Peux-tu nettoyer la cage de Jeannot avant de venir, ce soir ? Il m'a l'air un peu délaissé.

Je ne sais pas ce que l'avenir nous réserve, mais je sais que tu t'en sortiras bien.

Je n'aurais pas pu avoir de fille plus fabuleuse.

Je t'aime,

Maman

Je n'aurais pas pu avoir de maman plus fabuleuse.

Je t'embrasse,

Claire

P.-S. : J'ai préparé ta chambre pour qu'elle soit toute belle pour toi. Si je ne suis pas là à ton retour, je serai juste sortie chercher des carottes pour Jeannot.

P.-S.

Je t'aime

Ma maman chérie,

Je suis allée au groupe de soutien aujourd'hui et Mary m'a suggéré de t'écrire, même si tu ne pourras jamais me lire. Elle m'a dit que cela m'aiderait sans doute à me sentir plus proche de toi, et qu'il y a peut-être des choses que j'aurais aimé te dire.

Je suis revenue à la maison pour t'écrire cette lettre et je me suis installée à la table de la cuisine. La maison va bientôt être vendue mais pour le moment je peux presque faire comme si tu étais couchée dans ta chambre, ou comme si tu étais au boulot et que j'attendais que tu reviennes me raconter les bébés que tu as mis au monde, ou juste me serrer dans tes bras. Le pire, en entrant ici, c'est quand j'ai cherché un mot de toi sur la porte du frigo, et qu'il n'y en avait pas. La porte était toute blanche et vide. J'ai pleuré pendant une éternité.

Tu me manques, maman. J'aimerais que tu sois encore là avec nous. J'aime bien vivre avec papa, mais je voudrais que tu sois encore là. Je ne comprends pas pourquoi il a fallu que tu me sois enlevée, ni pourquoi tu es tombée malade, ni comment tu as pu mourir aussi vite alors que d'autres femmes guérissent tout le temps. Comment cela a-t-il pu arriver ainsi ? Comment as-tu pu partir, juste comme ça ? Comment as-tu pu me quitter ? J'ai l'impression de t'en vouloir, maman. C'est pas idiot, ça ?

Tu te rappelles comme l'automne a été beau, comment on regardait par la fenêtre de ta chambre, quand tu étais de plus en plus malade, pour voir les jaunes et les rouges illuminer le ciel ? Tu as fait tellement d'efforts pour te battre, maman. Je déteste l'idée que tout ce terrible hiver ait été si dur pour toi.

L'hiver a été long et froid. Je vais en cours, mais je me sens comme dans un brouillard la plupart du temps. Emma est adorable, James aussi, et Gina est super, maman, tu n'en croirais pas tes yeux. Mais ils ne sont pas toi. Noël a été horrible.

Mary avait raison. C'est vrai que ça me fait du bien de t'écrire, même s'il y a des mois que je n'ai pas pleuré comme maintenant. Elle dit que c'est normal d'être triste, en colère, et de se sentir perdu. Mais ça ne me semble pas normal. Pas du tout.

Il faut que je te dise que Jeannot va bien. Je lui ai installé sa cage chez papa et quand je m'assois pour le caresser, ça me rappelle notre été et notre automne ensemble, à faire ces albums photo, à manger les repas préparés par Gina, et à apprendre à mieux se connaître. Je peux essayer de me forcer à oublier combien la fin a été dure pour toi, mais je n'oublierai jamais comme tu as été forte et courageuse. J'ai une photo de toi en fauteuil roulant à l'hôpital. Tes yeux sont si grands, si beaux ! Tu as l'air étonnée, maman, comme si on t'avait prise par surprise. J'ai l'impression que nous avons toutes les deux été prises par surprise.

J'aurais aimé que nous ayons plus de temps, maman. Je crois que c'est tout ce que j'ai à dire, en vérité.

J'aurais aimé avoir plus de temps avec toi. Mais je suis heureuse du temps que nous avons eu. Très heureuse. Je vais regarder les albums en rentrant chez papa, et je vais tout me rappeler.

Je crois que je vais te laisser cette lettre ici. Dans cette cuisine vide. Pour que tu saches, si tu reviens, que je t'aime et que tu me manques. Je t'en prie, ne t'inquiète pas pour moi.

Ta fille,

Claire

Ma maman chérie,

Demain, c'est mon anniversaire. Déjà dix-sept ans, incroyable ! Papa et James (c'est mon copain maintenant – tu te souviens de James du lycée ?) m'ont préparé une sorte de surprise, mais je dois faire semblant de ne me douter de rien. Je ferai comme si je tombais des nues.

Je gardais la clé de la maison sur moi, en attendant le bon moment. Aujourd'hui je suis allée m'asseoir au bord du fleuve où on allait se promener, et soudain j'ai su quoi en faire. Je l'ai jetée aussi fort que j'ai pu. Elle a brillé dans le soleil, et puis elle a plongé dans l'eau et elle a disparu. Je me suis sentie bien, maman, pour la première fois depuis longtemps je me suis sentie bien. Assise au bord de l'eau, j'ai eu l'impression d'entendre ta voix dans le vent, qui me disait que ça allait pour toi.

Un jour, je plierai cette lettre et je la déposerai dans le fleuve. Pour l'instant, je la garde auprès de moi.

Je t'aime,

Claire

Merci à Marguerite Buckmaster,
que je n'avais jamais le temps de voir.

Composition Nord Compo
Impression CPI Bussière en janvier 2009
à Saint-Amand-Montrond (Cher)
Editions Albin Michel
22, rue Huyghens, 75014 Paris
www.albin-michel.fr

ISBN-13 : 978-2-226-18320-0
N° d'édition : 17881/02. – N° d'impression : 090003/4.
Dépôt légal : avril 2008.
Loi n° 49-956 du 16 juillet 1949 sur les publications destinées à la jeunesse.
Imprimé en France.